I Dawn J.O.

For Dawn J.O.

I Lindsey a Rabbit oddi wrth y merched x L.G.

To Lindsey and Rabbit from the girls x L.G.

Cyhoeddwyd gan Rily Publications Ltd 2017
Rily Publications Ltd, Blwch Post 257, Caerffili CF83 9FL
Hawlfraint yr addasiad © Rily Publications Ltd 2017
Hawlfraint y testun © Jan Ormerod 2005
Hawlfraint y darluniau © Lindsey Gardiner 2005

Addasiad gan Delyth George

Dawns yr Anifeiliaid
ISBN 978-1-84967-367-9
Cyhoeddwyd yn wreiddiol yn Saesneg yn 2005
o dan y teitl *Doing the Animal BOP*
gan Oxford University Press.

Argraffwyd yn China

RILY

rily.co.uk

DAWNS yr Anifeiliaid

Doing the Animal BOP

Jan Ormerod a Lindsey Gardiner
Addasiad Delyth George

Os wyt ti'n hoffi dawnsio,
os wyt ti weithiau'n canu,

IF you like to dance
and you sometimes sing,

ar ddawns
yr anifeiliaid
fe fyddi di yn dwlu.

why don't
you do the
animal thing?

Sodlau
gyda'i gilydd,

Put your
heels together,

a chymryd camau mân.

and waddle along.

Pengliniau'n
codi fyny
a phlu sy'n dawnsio'n
rhydd –

High stepping knees
and feathers that
bounce –

symuda gyda'r estrys
a chicia drwy y dydd.

flim-flam flutter
to the ostrich flounce.

Jeifia a jigla —
symuda yn ddi-stop!

Jive and jiggle —
just don't stop!

Neidia gyda'r mwnci

Jump and wiggle

i guriad
braf y bop.

to the monkey bop.

Cicia
dy goesau

Kick those legs

fel asyn glan y môr.

like the donkeys do.

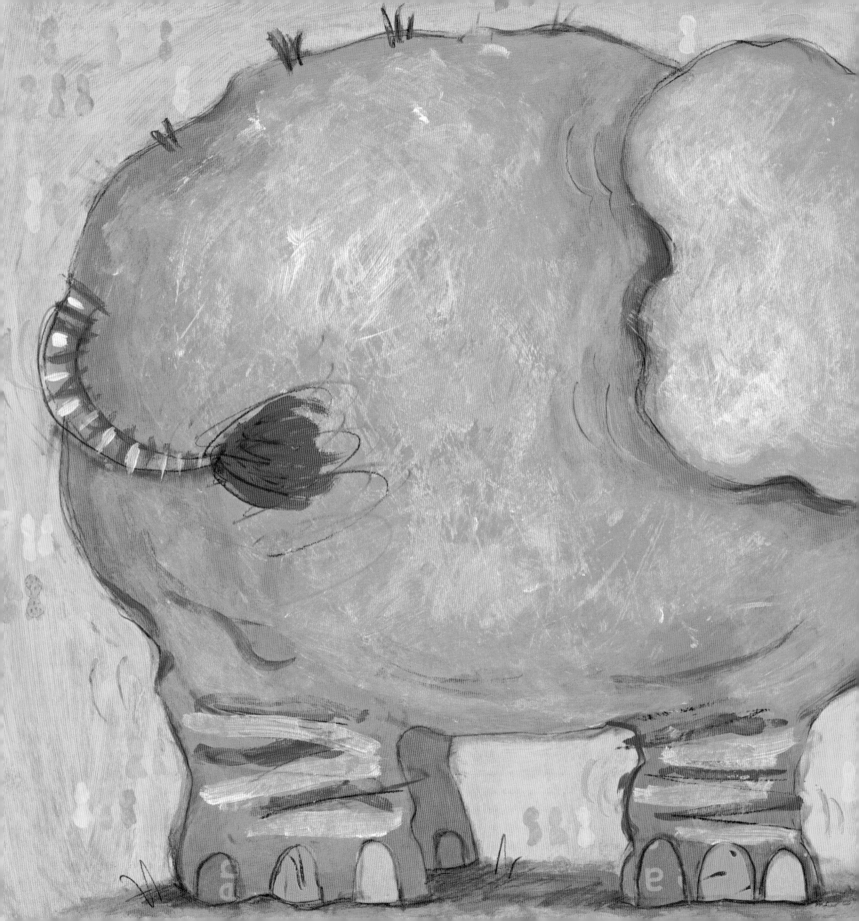

Chwifia UN FRAICH.

Wave one ARM.

CURA dy draed.

STOMP your feet.

Symuda fel yr eliffant
i'r curiad trwm, di-baid.

*Trudge along
to the elephant beat.*

Symuda un goes.

Move one leg.

Nawr symuda ddwy . . .

Now move two . . .

yn union fel y madfall . . . . . . mwy, mwy, mwy.

. . . move the way that the lizards do.

Gall yr iâr dew **bigo** . . .

A chicken can **peck** . . .

. . ac ysgwyd ei **phlu,**

. . . and a chicken can CLUCK.

ond yr hen hwyaden
yw'r un sy'n cael **sbri** . . .

But I think it's more fun
being a duck . . .

Gall **fflapio'i** thraed

The duck does a **waddle**

a *hercio'i phen,*

on his FLIP-FLAP feet,

felly sigla dy ben-ôl,
so swing your bottom

cama mlaen
a sboncia'n ôl.
to the
quack-quack beat.

Cwyna ac ochneidia . . .
Grunt and groan . . .

. . .STOMP, STOMP, STOMP!

. . .STOMP, STOMP, STOMP!

gan ruo a rhochio,

Roar and rage,

fel rheino sydd yn rompio!

it's a rhino romp!

Dim ond cnoi wna'r fuwch drwy'r randibŵ,

All the COW can do is chew.

felly dewch ynghyd a gweiddi

So let's end up with a great big

WWWWWWWWWW
mmmoooooo
mmwwmmm
mwww
mwwooooooo